kroonluchter
vestibule
vleugel
teckels

Z
Zwijsen

Anke Kranendonk

Miljonair helpt fancy fair

met tekeningen van Georgien Overwater

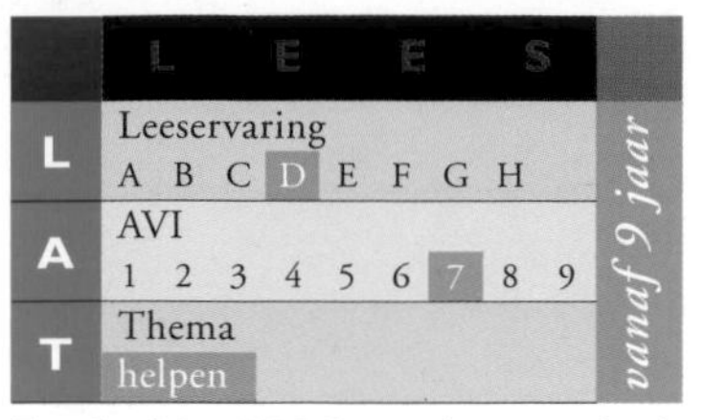

Toegekend door KPC Groep te 's-Hertogenbosch.

Leesmoeilijkheid: woorden met -air, uitgesproken als -èr

Naam: *Claire Hulsenbek*

Ik woon met: *moeder, vader en twee broertjes*

Hier heb ik een hekel aan: *als grote mensen flauwe grapjes tegen mij maken. Als ik dan niet lach, worden ze boos.*

Mijn beste vriendin is: *Jos, die houdt van wilde dieren en is lekker niet bang.*

Later word ik: *muziekmaker voor films*

1. Hoe het begon

'Ik vraag het wel,' zei mijn moeder. 'Die niet waagt, die niet wint.' Dat zegt ze altijd als ze iets probeert, maar eigenlijk niet durft.
Mijn moeder komt wel vaker bij de antiquair. Hij woont in een klein huisje met rood-witte luiken voor het raam. Hij heeft veel oude spullen en verkoopt die vanuit zijn schuur. Sommige dingen zijn antiek: meer dan honderd jaar oud. Die spullen zijn erg duur, maar er zijn ook leuke dingen die niet zo veel geld kosten.
Mijn moeder gaat vaak even snuffelen bij de antiquair. Hij is een aardige man die het niet erg vindt als je uren rondneust en uiteindelijk niets koopt.
Meestal koopt mijn moeder wel iets, een lampje, of oude, mooie deurkrukken, een paraplubak, van alles. Volgens mij komt ons halve meubilair uit de schuur van die man.
Soms heeft de antiquair spullen die er al jaren staan. Het leek mijn moeder een goed idee om te vragen of ze die spullen mocht hebben. Niet voor haarzelf natuurlijk, maar voor de fancy fair bij ons op school.

'Maar je moet wel mee,' zei mijn moeder. En zo vertrokken we op een woensdagmiddag. De herfstzon scheen. Het was een eindje fietsen naar het volgende dorp.
Meestal vind ik het vervelend om lang te fietsen, maar nu was het lekker, zo tussen de zonnestralen door. We fietsten

de laatste heuvel op en vanaf de top zoefde ik naar beneden. Ik zag het winkeltje al liggen, vlak voor de rotonde. De rood-witte luiken schitterden in de zon.
Mijn moeder en ik zetten onze fietsen tegen de prikheg met de rode besjes. Ik keek nog wel even of ik mijn fiets ergens anders kon neerzetten. Maar nergens was er plaats. Het hele terras stond vol met potten, beelden, oude tuinstoelen, schommelbanken, oude hobbelpaarden. Allemaal harde houten of metalen meubels. Ik moest er niet aan denken om erop te zitten. Maar de antiquair vroeg er veel geld voor.
We liepen naar binnen, tussen de rieten wiegjes, tafels met schalen en glazen, bankjes, tafeltjes en kasten. Ik moest regelmatig mijn hoofd buigen om niet tegen een kroonluchter te botsen. Gelukkig hadden wij niet zo'n lamp met al die glazen krullen in ons huis. Wat een kitschdingen! Mijn moeder vond ze prachtig, maar mijn moeder vindt alles wat oud is prachtig. Vaak genoeg zegt ze: 'O wat enig! Dat had mijn oma ook!'
Of: 'Wat schattig! Ik lag vroeger ook in zo'n wiegje. Ik vind het zo jammer dat oma het heeft weggegooid, anders had jij er ook in gelegen!'

Het stonk een beetje bij de antiquair. Ik dacht bij mezelf: man, kun je niet eens de hele boel lekker soppen?
De antiquair begroette mijn moeder hartelijk. 'Kan ik je ergens mee helpen?' vroeg hij, terwijl hij een pakje shag

uit de zak van zijn stofjas haalde.
'Nee, dank je,' zei mijn moeder. 'Ik kijk even rond.'
'Is goed,' zei hij.
Rustig bleef hij staan en draaide een sigaret. Toen hij hem opstak, begreep ik waarom het stonk. Hij had ook een beetje gele vingers, die man. Zijn tanden waren niet meer wit, en de haren die hij nog op zijn hoofd had, waren niet wit of grijs, maar geel.

Ik liep achter mijn moeder aan die bij alle spullen even bleef staan kijken.
'Wat doe je?' fluisterde ik.
'Kijken wat er al eeuwen staat. Die glaasjes bijvoorbeeld,' zei mijn moeder en ze wees naar kleine zilveren glaasjes.
'Wat kosten die?' vroeg ze, toen de antiquair naar haar toe kwam.
'Ach,' zei de man. 'Wat geef je ervoor?'
'Je hebt ze al heel lang staan, is het niet?' Mijn moeder deed extra aardig. Ze had heel veel lippenstift op gedaan en keek de man lachend aan.
'Ach ja,' zei de man. Ik zag wel dat hij mijn moeder leuk vond. En mijn moeder deed extra lief. Ik moest er stiekem een beetje om lachen.
'Nou kijk,' zei mijn moeder. 'Het zit zo. Mijn dochter Claire ...' Ze legde een arm om me heen en hield me stevig vast.
'Mijn dochter Claire,' zei mijn moeder nog een keer,

'heeft over een maand een fancy fair op school. Het is voor een goed doel, *Actie Prik* heet het. Een vriendinnetje van Claire woont in Malawi en er is daar veel geld nodig om kinderen de nodige vaccinaties te geven. En daarom ...'

Op dat moment kwam er een man het schuurtje ingelopen. Als hij niets had gezegd, hadden we hem niet opgemerkt. Maar hij mengde zich meteen in het gesprek.
'Ah!' zei hij. 'Eindelijk eens een fancy fair waar fair met het geld wordt omgegaan. Wat zei u? Voor die arme kinderen? Wat een briljant idee!'
De man droeg een lichtblauwe trui met een V-hals. Om zijn nek zat een sjaaltje geknoopt dat hij in de V-hals had gepropt. Zijn witte haar golfde mooi naar achteren. Aan zijn vingers droeg hij een paar grote ringen met diamanten erin.
Hij liep naar mijn moeder toe en sloeg een arm om haar heen. Waarom deed hij meteen zo familiair? Kende hij mijn moeder?
Glimlachend draaide mijn moeder zich even om, zodat de arm van haar schouder gleed.
'Vindt u?' vroeg ze aan de man en keek hem aan.
'En dan zo'n kind,' zei de meneer. 'Vertelt u eens meer.'
De antiquair trok een keer flink aan zijn sigaret.
Langzaam blies hij de rook uit over de zilveren glaasjes heen.
'Geweldig!' zei de man weer met zijn bekakte stem.

'Weet u wat ik doe? Ik zal meteen een circulaire doen uitgaan. Ik schrijf een brief aan al mijn vrienden. U moest eens weten, ik heb zo veel miljonairs in mijn vriendenkring.'
Hij bukte zich naar mijn moeder en fluisterde in haar oor: 'Zelfs miljardairs.'
Hij ging weer rechtop staan, aaide mij over mijn hoofd en keek naar de antiquair.
'Heb jij niet iets voor die schatjes?' vroeg hij. 'Weet je wat, ik neem deze affaire wel op me. Ik zal jullie zeggen, ik heb mijn schaapjes op het droge.' Weer boog hij zich naar mijn moeder en fluisterde: 'Multimiljonair.'
Hij legde zijn vinger op zijn mond, keek mijn moeder doordringend aan en gaf haar een knipoog. 'De tijd is aan mij! Ik kan alles doen wat ik wil. En arme kindertjes in Malawi, daar maak ik tijd voor vrij! Wat ik al zei, ik zal een circulaire doen uitgaan naar al mijn vrienden. Ik heb er zoveel: miljonairs, universitair geschoolde dokters, literaire agenten, culinaire typen.'
Terwijl hij praatte, haalde hij een zakdoek tevoorschijn en veegde ermee langs zijn voorhoofd.
'Pfff Gijs,' zuchtte hij. 'Wanneer schaf je eens een airco aan. Het is hier niet te harden.'
'Omdat de deur altijd openstaat, dan heeft het geen zin, meneer,' antwoordde de antiquair kalm.
De man keerde zich weer naar mijn moeder en stak zijn hand uit. 'Aangenaam,' zei hij. 'Ik ben Da Vinci.'

‘Da Vinci?’ vroeg mijn moeder verbaasd. ‘De Da Vinci?’
‘Zijn kleinzoon, zijn achterachterkleinzoon, ik ben een soort rudimentair aanhangsel.’
Nu kon ik de man echt niet meer volgen. Mijn moeder blijkbaar wel, die wist wie Da Vinci was.
‘Kom morgenochtend maar even op de espresso,’ zei Da Vinci.
‘Nou,’ zei mijn moeder. ‘Morgenochtend werk ik. Maar ’s middags zou wel kunnen.’
‘Ah ja, dat is beter. Dan is de circulaire al wereldwijd verstuurd.’
Hij gaf mijn moeder een kneepje in haar arm en mij een veeg over mijn wang. Toen draaide hij zich om en liep de schuur uit.
Voordat hij het pad af liep, kwam hij nog even terug.
‘Bonairelaan 35,’ zei hij. ‘Morgenmiddag.’

2. Op bezoek

'Aparte man,' zei mijn moeder, toen hij in zijn open sportwagen stapte en wegreed.'
De antiquair haalde zijn schouders op. 'Och,' zei hij. 't Is een beste kerel.'
'Is hij echt zo rijk?' vroeg mijn moeder.
'Zo te zien wel, verder hou ik me niet zo met mijn klanten bezig.'

Mijn moeder kreeg de glaasjes, een paar oude melkkannetjes en een poffertjespan mee. En de volgende dag stapten we op de fiets naar de Bonairelaan.

Aan de Bonairelaan staat zo af en toe een huis. De rest is tuin. Het duurde dan ook lang voordat we eindelijk bij nummer 35 waren aangekomen. Vanaf de straat was het huis nauwelijks te zien. Een enorm grote vijver lag in de voortuin. Aan het einde van de vijver stonden grote, dikke bomen.
Mijn moeder en ik probeerden het dikke grindpad op te fietsen. Halverwege bleven we steken, vielen bijna van de fiets en liepen verder.
We waren nog niet bij de voordeur of deze vloog al open. Drie donkerbruine teckeltjes stoven naar buiten. Luid blaffend renden ze om ons heen. Eentje liet zijn tanden zien. Direct kreeg ik kippenvel. Ik was altijd al bang dat

kleine kefhondjes in mijn enkels zouden bijten.
Meneer Da Vinci stond in de deuropening. Hij droeg een geruite broek, een overhemd, een vestje en een roze jasje. Om zijn nek zat een strikje. En dat terwijl het zo'n zonnige dag was.
'Ah, daar zijn de dames van het goede doel. Treed binnen! Zet je fiets niet op slot. Dat is niet aan de orde hier. Mijn drie waakhondjes rijten je de vellen van je benen als je hier iets komt pikken. Is het niet, mijn kleine Voltaire, Hegel en Kant? O, het zijn zulke wijsneuzen. Treed binnen, treed binnen.'

Mijn moeder en ik zetten onze fietsen op de standaard, maar ze zakten meteen weg in het grind.
'Zet ze maar tegen de *karraasju,*' zei meneer Da Vinci. De meeste mensen spreken 'garage' uit met een g aan het begin. Deze meneer maakte er een zachte k van.
We reden de fietsen naar de witgeverfde garage en zetten hem tegen de bruine deur aan.
Door het dikke grind liepen we naar de voordeur. We moesten enkele trapjes op en stonden toen in een hal. De zon scheen met mooie gekleurde stralen door de glas-in-loodramen naar binnen.
Midden in de hal bleef ik staan en keek om me heen. Aan het plafond hing een grote kroonluchter en aan de muren hingen geweien van herten. Ik draaide me om en schrok me een ongeluk. Voor me hing een groot dier. Hij had

zijn bek al wijd opengesperd.
'Welkom in mijn vestiaire!' zei meneer Da Vinci. 'Het is natuurlijk een vestibule, maar ik ben gek op opera. Daarom noem ik het hier de "vestiaire". Mag ik uw jas aannemen? Een bonnetje mevrouw?'
Hij nam het vestje van mijn moeder aan en gaf haar geen bonnetje, maar een rode roos.
'Voor u, ik houd niet van nummers, maar ben meer van de persoonlijke bonnetjes.'
Grinnikend nam mijn moeder de roos in ontvangst.
'En moet ik de roos weer inleveren als ik mijn vestje terug wil?' vroeg ze.
'Nee hoor, die is voor u. Maar komt u verder. We kunnen geen zaken doen in de vestiaire.'

Hij duwde tegen een deur waar wit glas in zat. In het glas waren een vogel en bloemen geslepen. Een mooie deur, maar ik zou er niet tegen durven duwen. Stel je voor dat hij zou breken.
Meneer Da Vinci ging ons voor. Snel pakte ik mijn moeders arm en fluisterde: 'Wat deed hij? Wat is een vestiaire?'
'Dat is de plek waar ze de jassen ophangen, in een mooi theater.'
'Werd hier gefluisterd?' meneer Da Vinci draaide zich om en keek ons aan.
'Nee!' wilde ik zeggen, maar mijn moeder was me al voor.
'Ja,' zei ze. 'Mijn dochter wist niet wat een vestiaire was,

dat heb ik haar even uitgelegd.'
Toen boog meneer Da Vinci zich naar mijn moeder.
'Mevrouw, hoe heet u eigenlijk? Mevrouw, u voedt uw dochter toch wel op in de schone kunsten?'
'O ja,' lachte mijn moeder. 'Heel schoon.'
'Dat doet mij deugd.' Meneer Da Vinci bleef nu midden in de volgende grote hal staan en zwaaide met zijn armen. Blijkbaar wilde hij iets gaan vertellen over alle schilderijen die er hingen, maar hij kreeg er de gelegenheid niet toe. Ergens vloog een deur open en de drie bruine teckeltjes kwamen de hal in gestoven. Ze renden in rondjes om me heen en bleven luid keffen. Als een klomp bevroren ijs bleef ik staan, met mijn armen recht langs mijn lijf.
'O, die kleine filosoofjes van me!' joelde meneer Da Vinci. 'Wat zijn het toch een gezellige waakhondjes. Ze kunnen zo mooi driestemmig blaffen!'

Een van de drie bruine hondjes trok zijn onderlip naar beneden. Kleine, smerige tandjes kwamen tevoorschijn en ik had ineens een vreemde gedachte: Dit waren geen hondjes, maar drie dikke bruine ratten.
Ik rilde bij het idee.
'Claire!' riep meneer Da Vinci ineens. 'Kijk toch niet zo ernstig. Weet je wat Voltaire zei? Die wijsneus zei: "Ik beschouw ernst als een ziekte". Dus vooruit, lach eens een beetje.'
Ik keek naar meneer Da Vinci.

En toen naar mijn moeder.
Ze knipoogde naar me.
'Meneer Da Vinci,' zei ze. 'Ik denk dat u even moet vertellen wie Voltaire was. Het wordt anders allemaal een beetje te ingewikkeld voor haar.'
Even leek meneer Da Vinci van zijn stuk gebracht. Hij zei niets, keek me aan, leek na te denken, en kwam toen weer tot leven.
'Ja, dat vergeet ik,' zei hij toen. 'Vroeger was ik ook een kind.'
Meer zei hij niet, maar hij hief zijn armen weer omhoog en wees naar alle muren.
Voordat hij iets kon zeggen, onderbrak mijn moeder hem al.
'Voltaire,' zei ze, 'was een man die lang geleden leefde, wel driehonderd jaar geleden. Hij schreef boeken en dacht veel over het leven na. Hij heeft een heleboel gezegd, wat de mensen hem nu nog nazeggen.'

De hondjes waren opgehouden met blaffen. Aan de voeten van hun baas waren ze op een dik rood kleed gaan liggen. Een van de drie was meteen in slaap gevallen; hij snurkte luid.
Meneer Da Vinci stond daar maar met zijn armen in de lucht. 'Kijk,' zei hij, toen mijn moeder was uitgesproken.
Ik keek, ik had het allang gezien. We stonden in een grote hal waar zes houten deuren op uitkwamen. Aan de muren

tussen de deuren, hingen schilderijen. Het waren allemaal dezelfde schilderijen, maar dan anders. Op elke afbeelding stond een blote man in een cirkel. Hij had zijn benen een beetje wijd en de armen staken in de lucht. Het leek alsof hij een springspelletje deed, zoals je wel eens op gym doet. In spreidstand staan en springen: wijd-sluit. Je armen gaan mee de lucht in, omhoog en naar beneden langs je zij. Zo stond die man op het schilderij, terwijl het leek alsof hij sprong. Wijd-sluit.
Om hem heen waren allemaal cijfertjes en lettertjes geschilderd.
'En? Wat ziet u?' vroeg meneer Da Vinci blij.
'Allemaal Da Vinci's,' zei mijn moeder. 'Maar dan in felle, eigentijdse kleuren.'
'U snapt het,' zei meneer Da Vinci opgelucht. 'U heeft er verstand van. Dat is waar ik van houd: complementaire kleuren.'

Ik ging naast mijn moeder staan, zo langzamerhand begon ik er genoeg van te krijgen. Konden we niet even doorlopen en ergens gaan zitten? Aan de andere kant vond ik het ook wel leuk. Ik had nog nooit zo'n meneer ontmoet en een huis gezien dat zo groot was als een museum. Mijn moeder kon zomaar met die man praten. Ik wist nergens een antwoord op.
Mijn moeder sloeg een arm om me heen. 'Weet je wat dat zijn, complementaire kleuren?'

'Ja,' antwoordde ik. 'Dat zijn tegenovergestelde kleuren, zoals bijvoorbeeld geel en paars.'
'Heel goed,' zei mijn moeder. 'Dat is het wel zo ongeveer. Hoe weet je dat?'
'Geleerd op school met tekenen.'
Ik trok mijn moeder een beetje naar me toe. Misschien zou ze snappen dat ik wilde opschieten.

Op dat moment piepte er ergens een deur en hoorden we een oude kraakstem.
'Robert,' kraakte het vanachter een deur. 'Robert!'
'O nee,' zuchtte meneer Da Vinci en even zag ik paniek in zijn ogen.
'Mijn moeder. Komt u maar mee.'

3. Een erg oude moeder

We bleven staan, terwijl meneer Da Vinci naar een deur liep.
'Komt u toch verder,' zei hij.
Een klagelijk geroep klonk weer vanachter de deur.
'Robert!'
'In dit vertrek liggen al mijn spullen. Ik heb er speciaal mijn secretaire voor uitgeruimd. Ik heb al wat mensen benaderd voor de fancy fair.'
'Robert!'
De hondjes bleven op het vloerkleed liggen slapen.
We volgden meneer Da Vinci de kamer in. Ook nu keek ik meteen mijn ogen uit. Als eerste zag ik een grote, zware vleugel, die pontificaal midden in de kamer stond. De grote piano glom, alsof hij dagelijks gepoetst werd. In deze kamer stonden weer veel stoelen en kasten. Maar hier was ook een enorme boekenkast, vol dikke, oude boeken.
'Robert!'
Bij de piano stond een heel oude mevrouw. Ze stond voorover gebogen en kon waarschijnlijk nooit meer rechtop staan. Ze schudde een beetje heen en weer, terwijl ze naar beneden keek. Toen zag ik het: tussen haar voeten lag een plasje.
Meneer Da Vinci liep naar de oude vrouw toe.
'Moeder,' zei hij met zijn bekakte stem, maar heel aardig.
'Bent u zomaar uit de stoel gekomen? Moest u zo nodig

plassen? Hoe kan dat nou, u heeft toch een luier om?'
'Robert,' zei de oude vrouw weer. In haar mond stond maar één tand.
'Kom maar, moedertje,' zei meneer Da Vinci en nam zijn moeder mee aan zijn arm. Voetje voor voetje schuifelden ze naar de deur toe.
'Excuseer,' zei meneer Da Vinci tegen ons. 'Mijn moeder behoeft verzorging. Ik moet haar even helpen.'
Plotseling kwam er een raar rochelend geluid uit de oude vrouw. Het kwam van achteren en later van voren.
'Oeps! Moedertje,' zei meneer Da Vinci en verliet de kamer met zijn moeder aan zijn arm.

Daar stonden we, mijn moeder en ik. In het wildvreemde huis, bij die wildvreemde mensen. Ik keek mijn moeder eens aan. Ze knipoogde naar me en keek de kamer rond.
'Mam,' zei ik voorzichtig. 'Vind je het niet raar?'
'Wat?' vroeg mijn moeder.
'Hier. Met die oude vrouw. Straks is het een heks.'
'Nee,' antwoordde mijn moeder. 'Ze is gewoon oud.'
Ze liep door de kamer en bleef zo af en toe staan om naar iets te kijken.
Toen ze bij een kastje stond, pakte ze een ding op en zette het voor haar ogen.
'Claire,' zei ze met een raar, hoog stemmetje.
'Niet doen!' siste ik. Nog steeds stond ik op dezelfde plek. 'Leg terug, wat is dat?'

'Een oculair,' zei mijn moeder, terwijl ze de twee glazen op het stokje op haar neus hield.
Ze trok een deftig mondje en zei met een keurige stem:
'Ik laat een circulaire uitgaan voor de fancy fair. Ik ben zeer solidair met deze affaire en steun de fancy fair.'
'Leg terug!' siste ik. 'Niet zo praten!'
'O, excuseer, dit heet geen oculair, *mair* een lorgnet. Rettekketet.'
'Alsjeblieft, mam,' fluisterde ik.
Mijn moeder legde het brilletje met één poot weer terug.
Ze bleef bij het kastje staan kijken.
Ik liep tussen het meubilair door naar haar toe.
Er stonden veel stoelen, tafeltjes en krukjes. De stoelen stonken naar oude spullen.
Op één stoel lag een plastic matje. Dat was zeker de stoel van de oude vrouw.

Toen ik naast mijn moeder stond, pakte ze een papier op.
'Kijk,' zei ze. 'Hij heeft al een brief geschreven.'
Ze hield de brief iets van haar af en las hem voor:
"Waarde vrinden, collegae, vijanden, overburen. En niet te vergeten, mijn stagiaire die momenteel op Bonaire verblijft.
Ik ben een alleraardigst meisje tegengekomen bij mijn antiquair. Jullie kennen hem allemaal, de oude-troepverkoper.
Dat meisje organiseert in haar solitaire eentje een fancy

fair. En voor wie? Voor arme kindertjes in Malawi. Het liefst ging ik nu meteen naar dat arme land. Ik zou graag die arme sloebers willen helpen. Helemaal gratis en voor niets, voor nop. Maar ik zit aan mijn oude moedertje vast. Zeker nu de stagiaire met haar billen op het strand van Bonaire zit.
Maar! Miljonairs en miljardairs onder mijn vrienden.
Maak jezelf populair!
Stort ruimhartig wat van jullie zuur verdiende euro's op girorekening....'

'Daar zijn ze,' siste ik. 'Leg weg.'
Mijn moeder keek op. In de gang hoorden we geschuifel van voetstappen.
'Blijf van me af,' zei de oude vrouw boos.
'Maar moedertje, als ik u loslaat, valt u.'
'Blijf af. Ga weg.'
De oude vrouw klonk boos.
'Maak dat je wegkomt!' riep ze.

Even later werd de deur geopend. Meneer Da Vinci kwam met zijn moeder aan zijn arm de kamer in.
Voetje voor voetje schuifelden ze naar de stoel toe.
Ondertussen riep de oude vrouw lelijke dingen naar hem.
'Ga weg! Wie ben je eigenlijk! Wat doe je hier?'
Meneer Da Vinci zuchtte. Hij zette de vrouw in de stoel en plofte toen zelf in zijn eigen stoel.

‘O,’ zei hij en wees naar zijn moeder.
‘Zo gaat het nu elke dag. Ik heb al zo veel hulpen versleten. Tientallen verzorgers, stagiaires, meisjes, jongens. Allemaal waren ze bang voor mijn moeder. Ze krabt en schopt naar achteren als ze gewassen wordt.
Mijn moeder had snel de brief teruggelegd.
De oude vrouw zat in haar stoel. Haar hoofd viel naar beneden en knikkebolde heen en weer. Was ze in slaap gevallen?
Mijn moeder praatte ondertussen met meneer Da Vinci.
‘Mijn moeder was de eerste vrouw die psychiater werd,’ zei meneer Da Vinci. ‘Ze hielp kinderen die in de war waren.’ Mijn vader was ook psychiater, hij hielp grote mensen die een beetje gek waren geworden. En ik ...’
Zijn stem bibberde. Het leek alsof hij ging huilen.
Ik keek naar mijn moeder. Ze reageerde heel normaal op meneer Da Vinci. Maar mijn buik werd een bal waarin wormen krioelden.
‘Nu zit ik hier,’ zei meneer Da Vinci met een krakende stem.’
‘Ja, meneer Da Vinci. En wij komen voor de fancy fair. U wilde een circulaire doen uitgaan. Denkt u dat het zal lukken? Zo niet, dan niet, hoor. Dan komt u gezellig met uw moeder spulletjes kopen op de fancy fair.’
Plotseling was mijn moeder even stil. Ze keek om zich heen.
‘Wat we natuurlijk ook kunnen doen,’ zei ze. ‘U heeft zo

veel spullen. Misschien wilt u iets afstaan voor de fancy fair. Spullen die wij kunnen verkopen.'
Meneer Da Vinci trok wit weg en zakte diep in zijn stoel.
'Geen sprake van,' zei hij. 'O nee. O nee.'
Toen zei hij niets meer.

4. De brief

We keken naar die keurige man in zijn geblokte broek. Onderuitgezakt in de stoel keek hij ons aan.
'U begrijpt het niet,' zei hij. 'U begrijpt het niet.'
Inderdaad, we begrepen er niets van. Maar ik wilde zo langzamerhand wel eens naar huis. En waar waren de keffende teckels gebleven? Had hij ze opgesloten in een hok, of lagen ze nog in de gang te slapen?
Kennelijk had mijn moeder er ook genoeg van.
'Meneer Da Vinci,' zei ze. 'Kan het zijn dat u al een brief hebt geschreven?'

Ik maakte vuisten van mijn handen en kneep erin. Mijn moeder verklapte zomaar dat ze in de spullen van meneer Da Vinci had geneusd. Ze liep weer naar de secretaire, het kastje waar de brief lag.
'Hier ligt zo veel papier,' zei ze. 'Kan het zijn dat de brief ertussen ligt?'
Meneer Da Vinci veerde weer op uit zijn stoel.
'Ja!' riep hij. 'Ik ben al aan de slag geweest. Ziet u wel, ik kan wel wat!'
Hij liep naar mijn moeder toe en pakte de brief van de secretaire.
'Leest u maar,' zei hij. 'Ik moet alleen mijn gironummer nog invullen.'

Op dat moment hadden we misschien beter moeten opletten. Maar dat wisten we toen nog niet.
'Of direct het gironummer van *Actie Prik,'* zei mijn moeder, 'Is dat niet handiger?'
'Veel handiger,' zei meneer Da Vinci.
'Maar als ik u niet ontrief. Ik moet even gebruikmaken van het sanitair. Let u even op mijn moeder?'
En zonder ons antwoord af te wachten, wandelde hij de kamer uit.

5. De moeder en de honden

'Mam,' zei ik, toen meneer Da Vinci de kamer uit was. 'Ik wil nu naar huis.'
'Ja,' zei mijn moeder. 'Nog even vragen of hij echt gaat helpen met de fancy fair, of niet.'
Ineens verschoof de oude vrouw in haar stoel. Ze was wakker geworden en probeerde op te staan. Steeds verder schoof ze naar voren, met haar neus zowat op haar knieën.
'Robert!' riep ze. 'Help me! Waar ben je nou weer. Nietsnut. Dommerd!'
Ze zat nu op het puntje van haar stoel en probeerde te gaan staan.
'Robert! Zit je weer te dromen! Ga je huiswerk maken!'
'Mevrouw,' zei mijn moeder, die naar de oude vrouw toeliep.
'Mevrouw, kan ik u helpen? Uw zoon is even naar de wc. Niet zo lelijk doen, hoor, hij helpt u altijd!'
De vrouw had steun gezocht bij een tafeltje. Ze schoof naar voren om te kunnen opstaan. Toen mijn moeder iets tegen haar zei, keek ze op.
'Wie ben jij?' kraste ze. 'Maak dat je wegkomt!'
Plotseling kwam ze een stukje overeind, maaide met haar arm en sloeg mijn moeder in haar buik.
'Mevrouw!' riep mijn moeder die met twee handen naar haar buik greep. 'Niet doen! Ik doe u geen kwaad.'
'Ga weg!' riep ze, met die ene tand in haar mond.

'Ga weg, Gerdien!'
'Ik ben Gerdien niet. Ik ben Susan, de moeder van Claire.'
'Weg! Weg!'
De vrouw kwam iets verder overeind, maaide weer met haar arm naar mijn moeder en verloor toen haar evenwicht. Ze kwam helemaal naar voren, gleed onderuit, in de armen van mijn moeder. Nog net op tijd kon mijn moeder haar opvangen en weer terug in haar stoel zetten.

Ik rilde. Nog nooit had ik zo'n oude mevrouw gezien die zo raar deed. Mijn moeder kennelijk wel, ze was niet bang of verlegen.
'Blijft u maar even rustig zitten,' zei mijn moeder. 'Robert komt zo weer.'
De vrouw zuchtte, liet haar hoofd zakken en leek ons op slag te zijn vergeten.
'Kom nu mee, mam,' zei ik.
Mijn moeder en ik liepen naar de deur. Mijn moeder keek nog even achterom om te kijken of de vrouw bleef zitten. Ze zat met haar hoofd voorovergebogen, waarschijnlijk sliep ze.
Ik duwde tegen de deur en schrok van de snelheid waarmee hij openging.
Meneer Da Vinci stond achter de deur, met drie hondenriemen in zijn hand.
'Ha!' riep hij, weer helemaal vrolijk.
'Ik heb eindelijk weer eens lekker rustig op het toilet geze-

ten. Ja, weet je, als ik geen hulp heb, kan ik geen moment weg. Mijn moeder komt me achterna om me te zoeken. En dan moet ik oppassen dat ze niet valt.'
Meneer Da Vinci zuchtte.
'Dat deed ze vroeger al. Ik moest altijd zeggen waar ik heen ging. Altijd. Ze volgde me steeds. Dat komt omdat ik haar enige zoon ben, denk ik. Ik heb nog twee zussen, maar die wonen lekker ver weg. Goeie zussen hoor, allebei dokter.'

Ik trok aan mijn moeders arm. Ze was in staat om nog een uur met die man te praten en ik wilde weg!
Te laat.
Plotseling vloog er een deur open en kwamen de drie teckels luid keffend naar ons toe gerend.
'Ha, wijsneusjes van me!' riep meneer Da Vinci weer vrolijk.
'Jullie willen uit, hè. Ja, dat weet ik. Maar eerst even mijn oude moedertje op bed leggen. Anders gaat ze vallen.'
Meneer Da Vinci was op zijn hurken gaan zitten en aaide met beide handen de teckels. Ze likten zijn gezicht, hapten naar zijn neus en beten in zijn hand. Waarschijnlijk niet erg hard, want meneer Da Vinci had er geen moeite mee.
Ineens schoot hij overeind.
'Ik heb een idee!' riep hij.
'Nu jullie er toch zijn, en ik iets ga betekenen voor jullie,

ga ik het vragen. Blijven jullie een uurtje bij mijn moeder, zodat ik de honden kan uitlaten?'
Hij was overeind gekomen en keek mijn moeder bijna smekend aan.
Ik stikte zowat. Hoelang zaten we hier? Al uren. Ik had honger gekregen en wilde naar huis.
De teckels hapten en blaften en sprongen om de benen van meneer Da Vinci.
Op de achtergrond hoorden we Da Vinci's moeder. Ze riep klagend om haar zoon.
Ik pakte mijn moeders hand en trok haar mee.
'Sorry,' zei mijn moeder. 'We moeten gaan. Ik heb nog twee kinderen en die zijn alleen thuis. Dat kan niet, begrijpt u?'
Meneer Da Vinci keek mijn moeder treurig aan.
'Ach,' zei hij. 'Een uurtje nog maar. Dan kunt u gaan. Vanaf morgen heb ik een nieuwe hulp, dan kan ik het weer allemaal aan.'
Ik trok aan mijn moeder, ze viel bijna om.
En die honden bleven maar blaffen.
'Ik weet het goed gemaakt,' zei mijn moeder toen. 'Wij laten de honden wel uit.'
Meneer Da Vinci maakte een sprongetje van blijdschap.
'Dat ik daar niet eerder aan heb gedacht!' riep hij.
'Voltaire, Hegel en Kant! Jullie worden door twee dames uitgelaten. Hoera! Maar ik trek wel jullie jasjes aan!'
Meneer Da Vinci liep naar een andere kamer en kwam

terug met drie wollen dingetjes.
'Mijn kleine Voltaire!' riep hij. 'Jasje aan!'
Hij ging op zijn knieën zitten wachten totdat een van de drie teckels naar hem toe kwam. Gewillig liet het beest zich het jasje aantrekken.
'Zo, lekker warm,' zei meneer Da Vinci. 'Een jasje van echt mohair.'
'Maar meneer,' zei mijn moeder. 'Het is zomer, moeten die beesten dan in een wollen jasje lopen?'
'O ja,' antwoordde meneer Da Vinci. 'Het zijn oorspronkelijk Zuid-Amerikanen, en die hebben het snel koud.'
'Wie zijn Zuid-Amerikanen?'
'Mijn lieve teckeltjes. Hè, honneponnie!'
Inmiddels had hij de volgende teckel aangekleed en na een poosje hadden alle drie de teckels een jasje aan.
Kant droeg een roze gestippeld jasje. Hij was een mannetje, maar meneer Da Vinci vond hem meer op een vrouwtje lijken. De andere teckel droeg een geel-groen geblokt en de derde een jasje met vlindertjes erop.
Meneer Da Vinci deed de beesten aan de lijn, riep naar zijn moeder dat hij er zo aankwam en bracht ons naar de voordeur.
'Alleen, één ding,' zei hij, toen we buiten op het dikke grind stonden. Ik hield Hegel aan de lijn. Mijn moeder had in twee handen de andere twee honden. Ze renden meteen door elkaar, zodat mijn moeder al binnen een minuut verstrikt stond in de lijnen. Ze lette niet meer op

meneer Da Vinci, maar keek alleen nog naar de twee honden.
Mijn Hegel leek iets te ruiken. Hij zette het op een rennen. Ik wachtte niet meer op mijn moeder en holde achter de hond aan.
'Eén ding!' riep meneer Da Vinci naar mij.
'Pas op. Vooral voor Hegel!'
Toen hoorde ik de deur achter me in het slot vallen.

6. Vossenjacht

De hond was niet meer te houden. Zijn kleine pootjes bewogen bliksemsnel onder het lange, uitgestrekte lijf. Zijn kop bewoog driftig op en neer en zijn staart zwiepte in de lucht.
'Ho!' riep ik. 'Halt! Ho!'
Het beest lette niet op mij, hij sprong over hoge boomwortels en sjeesde door de struiken. En ik rende er maar achteraan, goed uitkijkend dat ik mijn enkel niet verzwikte, of op mijn neus viel.
Achter me hoorde ik mijn moeder roepen.
'Claire!' riep ze. 'Wacht! Ik zit vast in de riemen.'
De honden keften luid en Hegel sjeesde voort.
'Ik kan niet wachten!' riep ik. 'Maak de riemen los.'

Ineens stoven er twee beesten langs me heen. Het leken net twee gebakjes op poten. Hun staarten staken parmantig uit hun mohairjasjes.
Zodra Hegel zijn twee broers in de gaten kreeg, begon hij nog harder te rennen. Ik hield hem niet meer bij. Snel hurkte ik en gespte de riem los. Hegel schoot ervandoor.
Ik bleef even staan uithijgen.
Even maar, want ik kon de honden niet alleen laten.
Ik hoorde mijn moeder roepen. Even later had ze me gevonden en samen liepen we in de richting van het luide geblaf.

Het was een diepe tuin waar vast nooit iemand kwam. We volgden wel een pad, maar het was zo dicht begroeid dat het een verlaten indruk maakte.
We hoorden de honden ergens blaffen. Waarschijnlijk stonden ze stil, want het geluid bleef op dezelfde sterkte.

Ik had het warm gekregen van het lopen. Ik zuchte diep en pakte mijn moeders hand. Zonder iets te zeggen, liepen we op het geluid af.
Plotseling stond mijn moeder stil. Ze keek naar de grond. Ik zag niets, behalve een drol.
'Wat doe je?' vroeg ik.
'Kijk,' zei ze. 'Een drol.'
'Dat zie ik,' antwoordde ik. 'Kom.'
'Ja maar. Zie je niets aan die hoop?'
'Hij stinkt, meer niet.'
'Denk eens na.'
'Mama,' zei ik. 'Je hebt een beetje te veel naar meneer Da Vinci gekeken. Wie gaat er nu nadenken over een drol? Kom mee.'
'Dit uitwerpsel kan niet van een teckel zijn.'
'Waarom niet?' vroeg ik.
'Teckels poepen kleiner. Dit is van een middelgroot dier.'
Dan is het van een middelmatige hond,' zei ik.
'Hoe komt hier een hond? Dit is een tuin.'
'Gewoon, kom nu maar mee. We moeten naar de teckels toe.'

‘Dit is van een vos,’ zei mijn moeder.
‘Een vos?!’

7. Arm beest

'Een vos,' zei mijn moeder. 'Dat zou me niets verbazen.'
Achter in de tuin hoorden we de beesten blaffen. We liepen verder en zagen ze op een open plek rondjes om elkaar draaien. Soms stonden ze even stil en dan gingen ze weer verder.
'Hebben ze al geplast?' vroeg mijn moeder.
'Voortdurend,' zei ik. 'Kijk maar, daar gaat de poot van Hegel, en daar die van Voltaire.'
Mijn moeder stond stil en keek naar de beesten. Het was handig dat ze gekleurde jasjes aanhadden. We konden ze nu duidelijk zien. Maar het was ook een raar gezicht. Het leken net drie kleine kleutertjes met hun jasjes aan.
Plotseling kwam er eentje naar mijn moeder toe. Aan de jasjes konden we zien wie het was: Hegel. Hij tilde zijn poot op en pieste tegen mijn moeders been.
'Ben je helemaal betoeterd!' riep ze, terwijl ze opzij sprong. 'Dat doe je toch niet. Mal beest!'
Maar Hegel was alweer weggerend. Achter zijn broer aan, die ineens luid blaffend, als een pijl uit de boog wegschoot.
Mijn moeder en ik liepen door.
Bij een grote, stinkende composthoop, helemaal achter in de hoek, stonden de drie teckels met hun neus in een gat. Hun staarten staken de lucht in. Om de beurt kwamen ze even uit het gat om adem te halen en flink te blaffen.

Hegel duwde zijn snuit steeds verder het gat in.
'Wat is dat?' vroeg ik.
'Een hol,' antwoordde mijn moeder. 'Van een vos, of van een konijn.'
'Het is te groot voor een konijn. Zouden hier echt vossen zijn?'
Mijn moeder knikte. 'Zou best kunnen,' zei ze. 'Er zijn weer vossen in Nederland.'
'Maar die vreten toch kippen op, en konijnen? Zijn hier echt vossen?'
Ik zweeg en staarde naar de grond. In gedachten zag ik het voor me. Vossen bestonden vroeger, in sprookjes en in boeken over arme kinderen twee eeuwen geleden. Dan kwam de vos en die pikte de enige kip die de arme familie nog had. Ze moesten bijna een kind verkopen, om weer een nieuwe kip te kunnen aanschaffen. En dan kwam prompt weer een vos voorbij die die kip pikte. Zo raakten de mensen niet alleen hun kippen, maar ook hun kindertjes kwijt. Die kwamen dan van de honger om.

Er kwam een raar gepiep uit het hol. Ik keek en zag alleen nog maar de staart van Hegel uit het gat komen.
'Hegel,' riep ik. 'Kom terug.'
De andere twee honden renden om hun broer heen, blaften en staken zo nu en dan even hun kop in het hol.
Hegel bleef maar in het gat.
'Kom eruit!' riep ik. 'We moeten naar huis. Je baas wacht!'

Bijna wilde ik hem aan zijn staart trekken, maar ik deed het toch maar niet.
'Misschien heeft de vos hem te pakken,' zei mijn moeder. Ze moest erom lachen, maar stel je voor dat het echt waar zou zijn.
Hegel schuifelde een beetje heen en weer, naar voren, naar achteren. De andere honden voelden dat er iets aan de hand was, ze bleven om Hegel heen rennen. Even verdween Kant de struiken in, draaide rond en deed een vliegensvlug poepje. Toen was ze weer terug om haar broer te redden.

Plotseling schoot Hegel naar achteren. Door de vaart viel hij op de grond, bleef even liggen en ging toen staan.
Mama en ik zagen het tegelijkertijd.
'Hegel! Je jas!'

8. Wat nu?

Zijn jas was gescheurd. Het mooie mohair jasje dat meneer Da Vinci hem had aangetrokken.
Hegel stond met zijn vier poten op de grond. Met een van de achterste poten krabde hij zijn buik, de plek waar het jasje was opengescheurd.
Ik liep naar de hond toe en knielde bij hem neer.
'Hegel,' zei ik. 'Wat is er gebeurd?'
Het hondje liet zich rustig over zijn rug aaien. Het jasje hing op de grond, en Hegel bleef zo af en toe zijn buik krabben.
'Misschien is hij achter een boomwortel blijven hangen,' zei mijn moeder. 'Is zijn buik niet opengescheurd?'
'Alsjeblieft,' zei ik. 'Doe me een lol.'
Ik ging plat op de grond liggen om onder de buik van Hegel te kijken. Optillen durfde ik hem niet, stel je voor dat hij me zou bijten.
Hegel liet het even gebeuren, toen draaide hij zijn kop naar me toe en gaf me een grote lik over mijn gezicht.
Ik proestte het uit. Bah! Net had hij nog door de vieze bladeren lopen wroeten, en nu likte hij mijn neus!

Ondertussen rende Voltaire achter zijn eigen staart aan. Misschien zat er een vlieg, of een teek. Het kleine beest tolde maar rond. De vlindertjes op zijn jasje leken haast te vliegen.

Ik stond op. Hegel mankeerde verder niets. Moesten we zijn jas uitdoen, of hem maar aan laten?
Ik dacht er even over na. En op dat moment stortte Voltaire neer.

9. Een hartaanval

Voltaire, de kleinste van de drie, lag op de grond met zijn poten in de lucht. Hij hijgde als een koe die met volle uiers door het weiland heeft gegaloppeerd. Zijn tong hing uit zijn bek en de vier poten bewogen bij iedere heftige ademhaling.
'O nee,' zei mijn moeder en knielde bij de hond neer. 'Laat het niet waar zijn.'
'Wat?' vroeg ik.
'Een hartaanval. Het is ook veel te heet voor die honden. In de zomer met een wollen jas. Hoe bedenk je het?'
'Gaat-ie nou dood?' vroeg ik. Ik voelde mijn eigen hart bonken.
'Knellende kleding losmaken,' zei mijn moeder. 'Dat heb ik op de cursus geleerd. Maar ik ga hem niet reanimeren.'
Ze trok het vestje uit en blies ondertussen de hond in zijn gezicht.
'Wat is reanimeren?' vroeg ik?
'Dan moet ik op zijn hart duwen in de hoop dat hij dan weer gaat leven.'
Met het vestje in haar handen wuifde ze de hond frisse lucht toe.
'Maar hij leeft toch nog?' vroeg ik.
Kant was bij haar broertje komen staan. Ze snuffelde aan zijn kop, zakte toen door haar voorpoten en ging liggen.
'Wat een affaire,' zuchtte mijn moeder. 'Ik zou er bijna

een documentaire van kunnen maken.'
'Waarvan?'
'Van meneer Da Vinci en zijn oude moeder. Dat is toch geen doen voor die man. Een moeder die je altijd zo klein heeft gehouden, en nu moet hij ook nog voor haar zorgen. Die man komt nooit van haar af. Dat is niet goed. En dan die honden. Meneer Da Vinci moet naar buiten, een leuke vrouw vinden en een beetje lol maken.'
Ja ja, mijn moeder weet het goed te vertellen. Ze is documentairemaker. Ze maakt films over echte mensen. Dus geen gespeelde mensen, maar echte. Zo heeft ze een keer een film gemaakt over ordinaire mensen. Ze waren heel smerig en vertelden steeds vulgaire moppen. Dat zijn vieze moppen. Maar toch waren ze erg aardig!
Daarnaast was er het verhaal van heel elitaire mensen. Ze aten elke dag enge schelpen. Ze waren eigenlijk net zo vies als die vulgaire mensen. Nou ja. Het enige lastige van mijn moeder is dat ze bij alles wat ze meemaakt, zegt: 'Deze affaire kan een mooie documentaire worden!'
Op het moment filmt ze onze klas. We vertellen allemaal voor de camera hoe het voelt om iemand te missen. En ook wat je doet, als je iemand mist. Tom gaat het onderzoeken, Roel eet zich misselijk aan chocola. Het is raar, hoor, om dat tegen een camera te vertellen. Rebecca werd alleen maar knalrood.

Maar Voltaire moest nu wel opstaan! We konden moeilijk

zonder hem naar meneer Da Vinci wandelen en zeggen:

'Sorry, drie kleine teckeltjes, die renden in het bos.
Een wilde niet aan de riem en maakte zich los.
Hij rende als een dolle, draaide in het rond,
verrekte toen zijn hartspier en viel hardhandig op de grond.
Twee kleine teckeltjes die renden toen naar huis. Één.'

ÉÉN?!
Waar was Hegel?!
'Mam!' riep ik. 'Hegel is ervandoor!'
'Ook dat nog,' zuchtte mijn moeder die nog steeds met het vestje zat te wapperen.
Ik riep luidkeels zijn naam en draaide rondjes op mijn plek. Ik speurde tussen alle bomen door, maar nergens zag ik die kleine teckel met zijn geblokte vestje aan. Wie ik ook riep, Hegel kwam niet.
'Loop vast vooruit,' zei mijn moeder. 'Misschien is Hegel al naar huis gelopen.'
'En jij dan?' vroeg ik.
'Ik kom zo, eerst Voltaire laten bijkomen.'
De hond hijgde al wat minder, maar bleef nog wel met zijn poten in de lucht liggen.
'Hij staat zo wel op,' zei mijn moeder. 'En dan loop ik rustig terug.'
Ik deed Kant aan de lijn en met nog maar één hond liep ik terug naar het grote huis. Ondertussen zocht ik natuur-

lijk overal naar Hegel. Hij was nergens.
Wat moest ik doen? In mijn eentje naar het huis van meneer Da Vinci gaan, aanbellen en hem alleen Kant overhandigen? Geen haar op mijn hoofd die daaraan dacht!
Ik liep langzaam met Kant naar het begin van de tuin. Gelukkig was de hond rustig en liep hij gedwee naast mij. Zo was het best leuk om een hond uit te laten. Eigenlijk heel erg leuk.
Ik kreeg een idee.

Net toen ik me wilde omdraaien om terug te gaan naar mijn moeder, hoorde ik blaffen.
Maar dat niet alleen.
Het grind kraakte.
Ik hoorde de stem van meneer Da Vinci.

10. De thuiskomst

'Hegeltje, mijn Hegeltje!' hoorde ik roepen.
'Waar is de rest?'
Ik stond stokstijf stil en hield Kant strak aan de lijn.
'O, mijn filosoofje. Wat is er met je gebeurd? Wat zie je eruit. Je jasje, je prachtige mohair jasje. Gescheurd. Gescheurd? Wat heb je gedaan? Ik had het nog zo gezegd: "Pas op Hegel, de kleine boef."'
Blijkbaar was meneer Da Vinci bij de hond neergeknield; ik hoorde geen voetstappen in het grind meer.
Ik bleef staan waar ik stond. Het liefst was ik omgedraaid en teruggegaan naar mijn moeder. Kwam ze er al aan? Ik keek even achterom en op dat moment gaf Kant een ruk aan de riem.
Ik kon niet anders dan hem hard achterna hollen. Kant rende regelrecht de tuin uit, het grind op, recht in de armen van meneer Da Vinci.
De hond jankte van plezier en meneer Da Vinci riep maar: 'Kant. O mijn Kant! Wat is er aan de hand?'

Op een afstand bleef ik staan. Mijn hart bonkte in mijn keel. Wat zou meneer Da Vinci doen als hij mij zag? Zou hij boos worden, gaan schelden, slaan? Grote mensen kunnen vaak zo vreemd reageren. Ineens boos worden, of ineens heel blij. Je moet altijd maar afwachten bij volwassenen en daar houd ik niet van.

Ik keek weer achterom, maar mijn moeder zag ik nog steeds niet.
Voetje voor voetje schuifelde ik achteruit, weer terug naar de tuin. Hopelijk zag meneer Da Vinci me niet en kon ik terug naar mijn moeder. Dan konden we samen naar meneer Da Vinci gaan en onze verontschuldigingen aanbieden. Als Voltaire tenminste weer tot leven was gekomen. Ik moest er niet aan denken dat hij dood was.

Maar meneer Da Vinci ontdekte me.
'Hé!' riep hij.
'Ben jij dat? Kom maar tevoorschijn! Ben je gek geworden, jij samen met je moeder? Het jasje van Hegel is gescheurd. Hij kwam in zijn eentje aangelopen, zonder bescherming van een mens! O mijn Hegel. Hier jij, meisje!'
Ik bleef staan.
Maar meneer Da Vinci kwam naar mij toe. Hij was knalrood geworden en het strikje om zijn nek hing er verlept bij.
'Wat heb je gedaan!' riep hij. 'Zijn jasje. Hoe moet ik aan een nieuw mohairjasje komen? Ik had het in Amerika gekocht. Jaren geleden, toen ik nog niet voor mijn moeder hoefde te zorgen. Toen ik nog een rijke miljonair was. En nu? Al mijn geld gaat op aan hulp voor mijn moeder. Ik kan geen flesje shampoo voor mijn hondjes meer kopen. En het jasje was zo'n bijzonder pronkstuk!'

Meneer Da Vinci ratelde maar door. Hij stond vlak voor mijn neus, dicht bij de achterkant van het huis. Hij was twee keer zo groot als ik, denk ik. Eerst schreeuwde hij tegen me, maar algauw nam het volume af. Hij praatte en praatte en toen ging het langzaam over in huilen.
Voor me stond een heel lange man in een geblokte broek en een roze jasje en een strikje. Zijn armen hingen naar beneden en hij huilde. Er was niets meer over van zijn vrolijke bui, zoals toen we hem ontmoetten bij de antiquair.
Ik keek naar hem en wilde hem best zielig vinden. Maar ik vond niets. Ik snapte het niet. Hoe kon een lange, volwassen man zo huilen om ... waarom eigenlijk?
Als mijn moeder maar weer terugkwam. Het duurde erg lang. Er moest iets gebeuren.
'Meneer Da Vinci,' zei ik resoluut.
Verbaasd keek hij op. Alsof hij me vergeten was.
'Het komt allemaal goed. U heeft al twee honden, het vestje wordt gemaakt en de andere hond doet nog even een poepje. Daarom is hij wat later. Gaat u maar gerust naar binnen. Neem de twee honden mee. Ik ga terug het bos in en haal mijn moeder en Voltaire.'
Zonder zijn antwoord af te wachten, rende ik terug het bos in.

11. Drie honden thuis

Mijn moeder liep met Voltaire in haar armen. Hij kon weer lopen, maar mijn moeder wilde zijn krachten sparen. Zonder veel te zeggen liepen we terug naar het huis. Ik was moe en dacht na. Misschien mijn moeder ook, want ze zei geen woord.
Toen we bijna aan het einde van de tuin gekomen waren, zette ze Voltaire op de grond. Met kleine driftige pasjes stapte het hondje naast mijn moeder. Zij liep erg langzaam om de hond niet te vermoeien.
'Gelukkig had hij geen hartaanval,' zei mijn moeder. 'Hij was alleen flauwgevallen door de warmte.'

Mijn hart bonkte toen we voor de deur van meneer Da Vinci stonden.
Hij wachtte ons op in de vestiaire, rukte de deur open en keek mijn moeder woest aan.
'Alstublieft!' zei ze expres vrolijk. 'Hier is uw derde hondje weer terug.'
'Hegel!' zei meneer Da Vinci boos.
'Ja, zijn vestje is gescheurd. Als u het op prijs stelt, zal ik het vergoeden. Ik heb nu geen geld bij me, dat komt de volgende keer.
'Maar ...!' kermde meneer Da Vinci.
'Meneer,' zei mijn moeder met een stevige stem. 'Wij moeten nu naar huis, en uw moeder roept, hoor ik.'

'Ik kan u één ding aanraden: doe de honden nooit meer een mohair jasje aan in de zomer. Een dun katoentje is beter.'
'Maar hoe kom ik daaraan!' riep meneer Da Vinci.'
'Dierenwinkel,' antwoordde mijn moeder.
'Die zijn niet leuk!'
'Meneer, daar vinden we wat op. Ga nu naar uw moeder. En vergeet niet de circulaire rond te sturen. Over twee weken is de fancy fair. Volgende week woensdag kom ik bij u om de boel verder af te handelen. Vriendclijke groet.'
Mijn moeder pakte mijn hand en deed een stap achteruit.
'Maar ...' zei meneer Da Vinci nog.
Maar mijn moeder liep naar de fietsen.
'Anders komen we nooit van hem af,' fluisterde ze naar me.
'Ik weet niet of ik het nog doe!' riep meneer Da Vinci.
'Jawel!' riep mijn moeder, terwijl ze haar fiets pakte.
'U hebt het beloofd! Denk aan de arme kindertjes!'

12. Op het dak

We hadden de fietsen gepakt en duwden ze door de dikke laag grind. Plotseling hoorden we roepen. Het geluid kwam bij het huis vandaan. Ik keek op en mijn mond viel open. Mijn spieren verstijfden in mijn lichaam.
Boven op het dak stond meneer Da Vinci. Hij was uit een raam geklommen en stond nu in de dakgoot.
'Joehoe!' riep hij.
'Dit kan ik ook doen op de fancy fair! Vliegen voor een euro!'
Ik kon niets uitbrengen. Het liefst sloot ik mijn ogen en oren, bang voor de heftige klap die meneer Da Vinci zou maken als hij naar beneden zou storten.
Mijn moeder legde haar fiets op het grind. Stap voor stap liep ze terug naar het huis.
'Meneer Da Vinci!' riep ze rustig. Ik kende haar lang genoeg om te horen dat ze helemaal niet rustig was.
'Meneer Da Vinci. Ga terug door het raam. Wij vinden u erg knap. Het is bijzonder goed dat u kunt vliegen. Maar we hebben al genoeg acts voor de fancy fair.'
Meneer Da Vinci spreidde zijn armen.
'Tien, negen, acht!' riep hij.
Mijn moeder keek me even wanhopig aan.
'Zeven, zes, vijf!'
'Meneer Da Vinci! Wacht!' riep ze.
'Ik heb een plan!'

Meneer Da Vinci liet zijn armen zakken.
'Ik haal er een fotograaf van de krant bij. Dan wordt u beroemd!' We zagen meneer Da Vinci aarzelen. Hij wankelde een beetje. Er hoefde maar een zuchtje wind te komen en hij zou als een propeller naar beneden storten.
'Welke krant?' riep hij.
'DE krant!' riep mijn moeder. 'Gaat u nu even naar binnen, de hondjes roepen u. Dat zal trouwens ook leuk zijn. De fotograaf maakt van u en de honden een foto voor de krant. Dan wordt u allemaal beroemd!'
Langzaam draaide meneer Da Vinci zich om. Hij liet zich tegen het dak vallen.
Ik sloot mijn ogen. Ik kon het niet meer aanzien.

'Kom maar,' zei mijn moeder na een tijdje.
'Hij is binnen.'

13. Een plan

De hele week moest ik aan meneer Da Vinci denken. Zo vrolijk als hij was toen we hem bij de antiquair ontmoetten, zo verdrietig bleek hij te zijn bij zijn oude moeder. En dan dat dak. Misschien was hij in de war. Zo'n grote man en dan zulke malle streken!

Volgende week zouden we naar hem toegaan om het geld in ontvangst te nemen. Het zou echt leuk zijn als we hem in het zonnetje zouden zetten. We konden hem ophalen als de fancy fair er was. Met een fotograaf van de krant. Dat wilde mijn moeder wel regelen.
Er was al veel georganiseerd: een goudvissenrace en een caviashow. Je kon zaklopen en nog veel meer. Roel verkocht druipsteen. En die rare Tom had zelfs een zanger met accordeon geregeld.
Temidden van de drukte zou ik de microfoon pakken en om aandacht vragen. Ik zou meneer Da Vinci bedanken voor zijn goede zorgen. Meneer Da Vinci zou glunderen, met een gouden strikje om zijn nek. En zijn moeder ...
Wacht eens.
Moest zijn moeder alleen thuisblijven? Kon ze mee naar de fancy fair? Hoe dan? Lopend, in een busje, met de rolstoel?
De rolstoel?

14. Voorbereidingen

Ineens hadden mijn moeder en ik het erg druk.
We hadden allerlei plannen voor de fancy fair gekregen.
Mijn moeder schreef een brief aan alle ouders.
'Hi hi,' zei ze. 'Ik laat een circulaire uitgaan.'
Ze las hem aan mij voor:

'Beste ouders. Ik organiseer een wedstrijd. Mannen en vrouwen mogen eraan meedoen. Maar vrouwen en mannen krijgen apart een prijs. Op de fancy fair zal de uitslag bekend worden gemaakt. In de jury zitten: Claire, een miljonair en ik. De prijs is ... Maar let op: hou dit geheim. Als u toevallig bij de antiquair bent, en u treft de miljonair, verklap dan niets.'

Ik had ook een plan. Meerdere plannen zelfs. Ik moest borden maken waarop stond wat een ritje kost. Ik moest een parcours uitzetten op het schoolplein. In het park keek ik naar een route die je in tien minuten kon lopen.
Ik schilderde nog meer borden.
Er moest een speciale parkeerplaats komen voor de auto van meneer Da Vinci.
Ik verheugde me erop zijn gezicht te zien! Op deze manier maakten we niet alleen de kinderen in Malawi gelukkig. Hopelijk ook een oude man met zijn nog oudere moeder.

's Avonds lag ik in mijn bed. Ik stelde me het gezicht voor van meneer Da Vinci als hij in het zonnetje werd gezet. Hij had vast weer een geblokte of gestreepte broek aan en een strikje om. Meneer Da Vinci straalde. Even hoefde hij niet op zijn oude moeder te letten, dat deden anderen. Iemand deed het heel goed, bijvoorbeeld de moeder van Joeri. Dat kwam mooi uit, zij had geen werk. Ze waren eigenlijk heel arm. De moeder van Joeri werd de verzorgster van oma Da Vinci.
En er was nog een moeder. Bijvoorbeeld de moeder van Jessie. Zij had geen man meer en liep ook vaak in een geblokte broek. Ze werd verliefd op meneer Da Vinci!
Ik lag in mijn bed. Ik stelde me alles voor. En alles werd steeds mooier en fijner. De zon scheen, waardoor alles een mooie gloed kreeg. De fancy fair was geslaagd, het was gezellig en er werd veel geld opgehaald. Meneer Da Vinci was verliefd en zijn moeder was onder de pannen. En ineens had hij weer geld en dat schonk hij allemaal aan de fancy fair.
Met al die beelden viel ik in slaap.

Woensdag zouden we naar meneer Da Vinci gaan. Er moest veel besproken worden: had hij de brief nog rondgestuurd, wanneer en naar wie? Er was namelijk nog geen cent binnen. En meneer Da Vinci moest zaterdag komen, samen met zijn moeder. Misschien moesten we hem overhalen. En we mochten niets verklappen.

Woensdagmiddag. We gingen om drie uur weg. Om half-vijf moest ik op mijn gymclub zijn. We konden dus niet lang bij meneer Da Vinci blijven. Dat deden we expres, we hadden geen zin om weer uren bij hem te zijn.

We liepen het grindpad op. We belden aan. We wachtten. De deur ging open en daar stond ... een meisje in een witte schort.
'We komen voor meneer Da Vinci,' zei mijn moeder.
'Die is er niet,' antwoordde de verpleegster.
'O,' zei mijn moeder. 'We hadden een afspraak. Mag ik vragen hoe laat hij terug is?'
'Volgende week,' zei de verpleegster.
Op de achtergrond hoorden we de oude vrouw alweer roepen.
'Volgende week?'
'Ja, ik kwam terug uit Bonaire. Meneer zei dat hem dat goed uitkwam. Hij had ineens veel geld op zijn rekening gekregen, nu kon hij er eindelijk eens uit. Nou, ik gun het hem hoor.'
Met open mond staarde mijn moeder de verpleegster aan. Mijn mond viel ook open.
'Wanneer?' stamelde mijn moeder. 'Hoe? Hoe komt hij aan het geld?'
Het meisje trok haar schouders op. 'Dat weet ik niet hoor, een of andere circulaire.'

'Waar is hij naartoe?' vroeg ik.
'Naar de *Maladieven,* geloof ik. Hi hi.' Ze lachte even.
'Leuke naam toch, de *Maladieven.'*
'Wanneer?' vroeg mijn moeder weer.
'Net. Hij is net weg.'
'Hoe?'
'Gewoon. Maar mevrouw roept, ik moet naar binnen.'
Ze draaide zich om.
'Ik zal de groeten doen,' zei ze, terwijl ze weg wilde lopen.
'Ho!' riep mijn moeder.
'Hoe laat vertrekt het vliegtuig en met welke maatschappij?'
'Luister eens,' zei het meisje nu streng. 'Dat ga ik toch niet allemaal vertellen. Ik ken u niet eens. Maar als u het weten wilt. Met Air France. Maakt dat uit? Ik zal de groeten doen.'
'En hoe laat?'
Ze haalde weer haar schouders op. 'Hij is net weg. Maar ik moet nu echt naar mevrouw.'
Ze duwde de deur voor onze neus dicht.

Totaal verbluft keken we elkaar aan. Daar gingen onze mooie plannen. Daar ging ons goede vertrouwen. We waren erin geluisd.
Maar nee!
'Kom op,' zei mijn moeder. 'Naar Schiphol!'
We sprongen op onze fiets, sjeesden naar huis, sprongen

AIR FRANCE
AIR FRANCE
AIR FRANCE

in de auto en scheurden naar Schiphol.
Mijn moeder parkeerde de auto voor de vertrekhal. Dat mocht eigenlijk niet, maar het maakte haar even niet uit als ze een parkeerbon zou krijgen.
We renden de vertrekhal in, zochten naar de balie van Air France en liepen ernaartoe. Er stond een hele rij mensen te wachten. Allemaal moesten ze hun paspoort laten zien en hun koffers inleveren.
Maar meneer Da Vinci stond er niet.
We liepen verder, richting douane. Als hij eenmaal door de douane zou zijn, konden we hem niet meer achterhalen. Alleen mensen die gaan vliegen mogen door de douane. De mensen die uitzwaaien, blijven altijd achter.
Mijn moeder zocht langs de ene rij, ik keek bij de andere. Voetje voor voetje schuifelden de mensen naar voren.
Tussen de rijen waren twee acteurs. Ze stonden het publiek te vermaken door met hen te praten en malle dingen te zeggen. Een van de acteurs sprak mij aan, maar ik reageerde niet. Ik zocht meneer Da Vinci.

Daar stond hij. Met één been door de douane. Zijn tas lag op de lopende band. Hij werd gecontroleerd op drugs en wapens.
'Meneer Da Vinci!' riep ik.
Verschrikt keek hij om.
'Wacht! Waar gaat u heen? Hoe komt u aan dat geld? Het is voor Malawi. Niet voor u!'

Ik flapte het er zomaar uit, waar alle mensen bij stonden.

Het ging heel snel.
Ik weet niet waar zo snel politie vandaan kwam. Meneer Da Vinci werd vastgepakt. Hij zei niets.
Helemaal niets. Zijn onderlip trilde. Verder stribbelde hij niet tegen.
We liepen achter hem aan.
Hij werd in een verhoorkamertje gezet. Voor de deur wachtten we. Malle meneer Da Vinci. Ik was boos. Maar ook weer niet. Zou het allemaal nog goed kunnen komen?

15. Berouw

Meneer Da Vinci had spijt. Heel veel spijt. Treurig zat hij in het kamertje.
'Ik heb het allemaal niet zo bedoeld,' zei hij met die trillende lip. Maar het gebeurt soms vanzelf. Dan word ik heel vrolijk, dan denk ik dat ik alles kan. Dan wil ik de wereld veranderen en heb ik veel geld nodig. Dan wil ik alles weggeven. Maar ook alles houden. Dan wil ik de wereld in en niet meer suf voor mijn moeder zorgen. Dan denk ik dat ik een held ben. Dan wil ik zo graag een held zijn.
Dan, dan. Dan neem ik geen pilletjes meer, want dan denk ik dat ik zonder pilletjes kan. Dan wil ik zo graag blij en vrij leven.'

Dat vertelde meneer Da Vinci aan ons. Hij was zo'n grote man, maar hij leek zo klein.
Mijn moeder keek de politieman aan.
'Meneer,' zei ze. 'Laat hem maar vrij. We vergeven het hem. Mag hij mee? We hebben hem nodig. Zonder hem valt de fancy fair in het water.'
Toen keek ze naar meneer Da Vinci.
'Op één voorwaarde,' zei ze. 'Nee, op twee. Dat u iedere dag weer een pilletje neemt, en dat de rest van het geld naar Malawi gaat.'
Meneer Da Vinci knikte.

'Kom mee,' zei mijn moeder.
'Dan breng ik u thuis. Maar zaterdag verwacht ik u. Met moeder en hondjes, met rolstoel en cabriolet.'
De politieman liet meneer Da Vinci gaan en keek ons hoofdschuddend na.

16. Feest

Het was zaterdag. Ik was vroeg wakker. De zon scheen, dat was een goed begin.
In de ochtend reed ik met mijn moeder naar school.
Op het plein was het nog rustig. Een paar vaders hingen vlaggetjes op, verder was er nog niemand.
Bij de zandbak zette ik het eerste bord neer:

Honden uitlaten voor kleuters.
Eén rondje rond de zandbak: 20 eurocent. Twee rondjes: 40 eurocent.

Toen liep ik naar het schoolhek.
Ik zette het volgende bord neer:

Hond uitlaten in het park: 50 eurocent.
Twee honden: 1 euro en drie honden voor de prijs van vier: 2 euro.

Leek me wel een leuk grapje. En als iemand zou zeggen: Dat klopt niet, dan zou ik zeggen: 'Moet je horen, iedereen laat in zijn leven wel eens één hond uit. Soms twee, maar drie honden tegelijk is heel speciaal. Daarom is er ook een speciale prijs.

Als derde op het programma stond: oma.

Ik ging naar de fietsenstalling. Je kon eromheen lopen en dat leek me een mooi parcours. Op de ombouw van de fietsenstalling hing ik het volgende bord:

Ooit eens iemand in een rolstoel willen duwen? Nu kan het! Oma duwen voor een euro. Je maakt haar blij: ze is eindelijk eens buiten. En haar zoon ook, die heeft eindelijk even vrij.

Ik hing nog een bord op:

Klaar met oma duwen?
Laat je dan zelf rijden. In de cabrio van meneer Da Vinci!
Twee euro.
Maarrr ... eerst oma duwen, dan in de cabrio.

Dat zette ik er maar bij. Anders kwam er misschien een wachtrij voor meneer Da Vinci. En stond zijn moeder de hele middag in haar eentje in de rolstoel op het plein.

Het werd twee uur. Het plein liep vol. Ik wachtte op mijn moeder. Mijn vader was er al, maar mijn ma zou de familie Da Vinci ophalen.
Er stonden al drie kleuters te wachten voor de honden.
Er waren al twee kinderen die wel eens een rolstoel wilden duwen. Ze vroegen allebei of ze er ook zelf in mochten zitten. Ik vroeg hun waar ze oma dan wilden laten. Dat wisten ze niet.

Bij het hek was het een drukte van belang: vijf hondenuitlaters en twaalf cabriorijders.
Even later gleed de wagen de hoek om.
Voor het hek stond hij stil. De blote honden sprongen er direct uit en keften hun venijnige blaf. Op slag gingen de kleuters toch maar liever zaklopen.
Meneer Da Vinci hielp zijn oude moeder uit de wagen. Hij zette haar in de rolstoel en gaf die toen over aan de moeder van Joerie.
'Meneer Da Vinci,' zei mijn moeder, terwijl ze hem een arm gaf. 'Voordat u als chauffeur mag optreden, vragen we u eerst op het podium te komen.'
Ze leidde meneer Da Vinci naar een verhoging voor de schooldeur. De microfoon stond al klaar, een fotograaf had zijn camera in de aanslag.
'Geacht publiek, even uw aandacht alstublieft.'
Het werd stil
'Meneer Da Vinci,' sprak mijn moeder. 'Wij kennen elkaar nog niet zolang, maar we hebben al veel meegemaakt.'
Meneer Da Vinci knikte. Rustig luisterde hij naar mijn moeder. Hij was niet meer druk of uitgelaten of verdrietig.
'U heeft nu drie blote honden. Maar ik heb u iets beloofd.'
Ze overhandigde hem een groot pakket.
'Veel ouders hebben hun best erop gedaan. En er zijn twee winnaars, een moeder en een meester ...'

De mensen begonnen te juichen. Er was maar één meester op school. Had hij de wedstrijd gewonnen?
Meneer Da Vinci maakte het pak open. Er zaten wel twintig hondenjasjes in. Allemaal even mooi: geblokt, met vlinders, met strikjes, met glittertjes, met kantjes.
Meneer Da Vinci keek ernaar.
Ik had hem, zolang als ik hem kende, nog nooit zo blij gezien.
Zo echt blij.

Het was druk op de fancy fair. De mensen kochten veel, en de ritjes naast meneer Da Vinci waren een geslaagd nummer.
Bijna alle mensen uit het dorp hebben de fancy fair bezocht.
Zelfs de antiquair. In zijn bruine stofjas.
En wat kocht hij? Zijn eigen glaasjes!

Een deel van de opbrengst van dit boek komt ten goede aan projecten van Unicef.

AVI 7

1e druk 2006

ISBN 90.276.6319.x
NUR 282

Vormgeving: Rob Galema

Voor België:
Zwijsen-Infoboek, Meerhout
D/2006/1919/110